CHARLES DE GAULLE

T'étais qui, toi ?

Une collection dirigée par **Vincent Cuvellier**

Dans la même collection :

AGRIPPINE LA JEUNE
Audrey Guiller • Pénélope Paicheler

LÉONARD DE VINCI
Olivier Larizza • Nikol

Éditrice : Isabelle Péhourticq
Directeur artistique : Guillaume Berga

© Actes Sud, 2010
ISBN 978-2-7427-8711-1
Loi 49-956 du 16 juillet 1949 sur les publications destinées à la jeunesse

T'étais qui, toi ?

CHARLES
DE GAULLE

Vincent Cuvellier

ILLUSTRATIONS DE
Jean-Christophe Mazurie

ACTES SUD JUNIOR

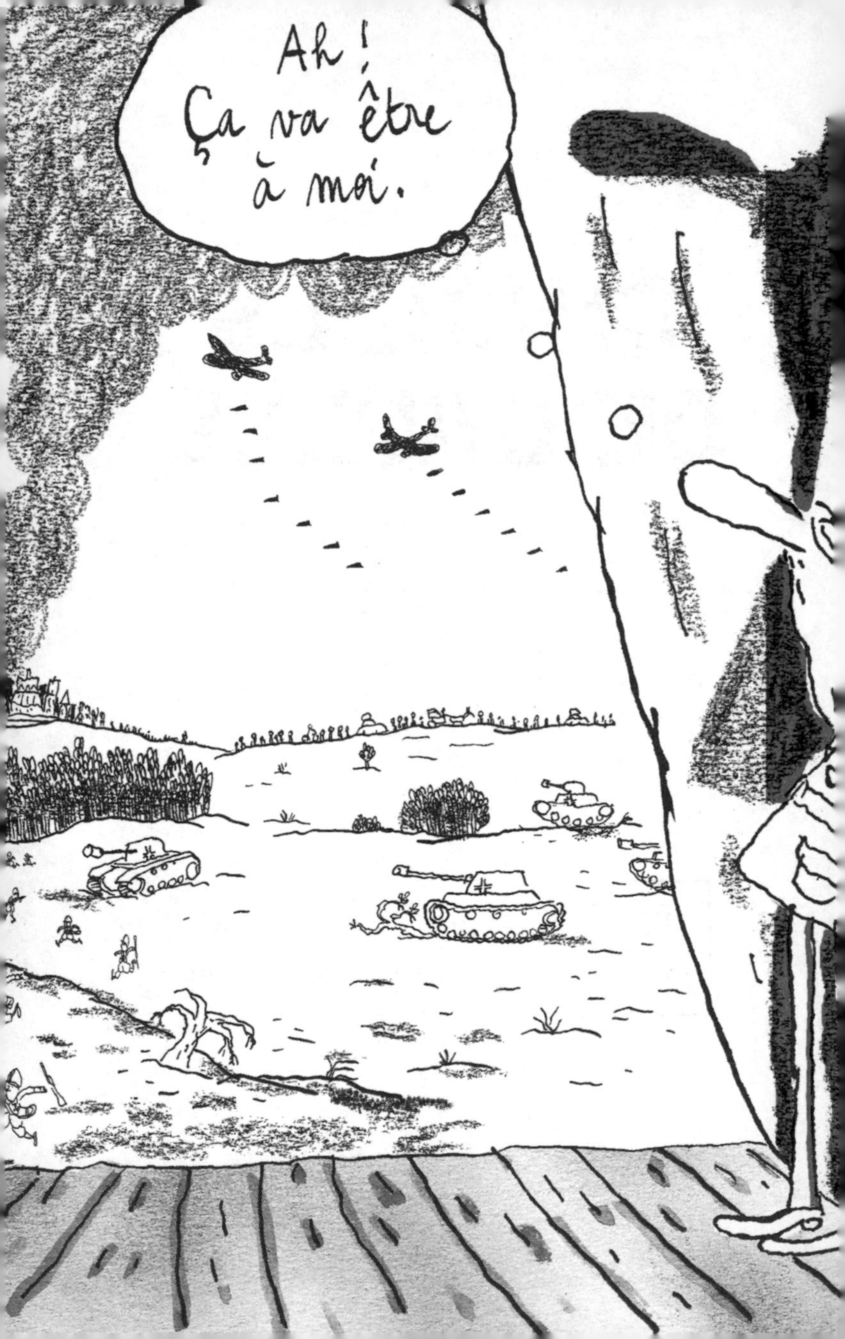
Ah ! Ça va être à moi.

NOS ANCÊTRES
LES GAULLISTES

De Gaulle ! Déjà, s'appeler de Gaulle ! Bon, nous, on le trouve normal, son nom, mais imaginez. Imaginez, vous vivez en juin 1940 dans un pays dont l'armée, qu'on disait une des meilleures au monde, vient de s'écrouler. Dont les hommes politiques ont tous quitté Paris. Il y a des milliers de personnes sur la route. Des enfants qui ont perdu leurs parents. Des vaches qu'on ne trait plus et qui hurlent dans les champs. Des vieux abandonnés dans des villes désertes. Les Français n'ont qu'une peur : les Allemands. Ils arrivent. Ils gagnent partout. Des milliers de soldats français et anglais sont tués. Des millions sont prisonniers. Ils vont bientôt être enfermés dans des camps en Allemagne et, pour certains, ne vont pas revoir leur famille pendant six ans. L'armée allemande a gagné. En un mois. Les nazis sont les nouveaux chefs de la France. On commence déjà à installer des panneaux indicateurs dans leur langue.

La France s'est écroulée. Tout est foutu. Un vieux chef, Pétain, dit qu'il faut arrêter de se battre, que les Allemands sont les plus forts, qu'il faut leur obéir.

Alors, c'est foutu, c'est ça ? On va écouter ce vieux maréchal de quatre-vingt-quatre ans, à la voix chevrotante, comme on écouterait un vieil oncle rabat-joie. On n'aime pas ce qu'il dit, mais il a raison. On a perdu. La République française va mourir.

Un général inconnu décide alors d'aller à Londres. Le lendemain, il parle à la radio. Il dit que tout n'est pas perdu. Que la guerre n'est pas finie, que ce n'était qu'une bataille. Que la guerre est mondiale. Que la France va bientôt

se relever. Cet homme, qui parle de la France comme si c'était une personne, s'appelle de Gaulle. De Gaulle ! Vous imaginez, vous êtes dans votre petit village du fin fond de la Bourgogne ou dans votre immeuble d'un boulevard parisien, vous voyez débarquer depuis quelques jours des soldats ennemis, et le type qui vous dit que tout n'est pas perdu s'appelle de Gaulle ! Comme l'ancien nom de la France ! Vous vous souvenez encore de votre maître en blouse grise qui vous apprenait "nos ancêtres les Gaulois" ? Ils avaient de la gueule, les habitants de la Gaule ! Torse nu, les cheveux au vent, des moustaches fières et blondes !

Général de Gaulle. Lui aussi, il doit venir du fin fond de notre histoire, du fin fond de nos épaisses forêts.

Rapidement, son nom se transmet par le bouche à oreille. Bientôt, on se dit gaulliste. On se cache pour écouter à la radio cette voix un peu sévère. Des jeunes se baladent même dans la rue avec deux cannes à pêche. Deux gaules.

Au début, de Gaulle, c'est ça. Un nom. Une voix. Un symbole. Son visage sera connu plus tard. Ses idées aussi.

Pour comprendre comment ce petit général est devenu celui que beaucoup considèrent comme un des plus grands personnages historiques français, on va commencer par le commencement : son enfance.

Charles de Gaulle

PETIT AVEC
DES GRANDES OREILLES

Charles est né en 1890. Son grand-père est né sous Napoléon. Sa famille vient de loin.

Au début, c'est un bébé. Est-ce qu'il est déjà très grand ? Avec un grand nez, des grandes oreilles ? Ça, je n'en sais rien. Tout ce que je sais, c'est qu'il était habillé en fille. Jusqu'à ses quatre ans. Ben oui. C'était comme ça, à l'époque. À cinq ans, on vous passait un pantalon, on vous coupait les cheveux, et hop, on passait chez les hommes. Ah, il faut voir la photo où il pose avec une longue tignasse blonde, la frange trop courte, mais déjà cet air hautain de roi en exil que lui reprocheront ses détracteurs.

Il a déjà un grand frère, Xavier, et une grande sœur, Marie-Agnès. Puis viendront deux frères, Jacques et Pierre. Son père, c'est Henri. Un professeur de français et d'histoire. La mère, c'est Jeanne. Bon, à l'époque, dans les familles de ce milieu social, ça ne rigolait pas trop. La mère, surtout, n'était pas une marrante. Ça filait droit. Mais le père, avec son humour et sa culture, rendait ça agréable. "Les enfants, disait-il au début de chaque repas, vous avez cinq minutes pour me faire part de vos petits maux." Étonnant pour l'époque où il était très mal vu de parler de soi, de se plaindre ou de se vanter. Du reste, Charles de Gaulle gardera toute sa vie cette réserve, surtout en ce qui concerne sa vie privée.

Quand il a trois mois, toute la famille quitte Lille pour vivre à Paris. Parmi les loisirs préférés de cette famille : les promenades au jardin du Luxembourg ; les garçons devant, la fille derrière et les parents qui encadrent cette petite troupe. La rue, c'est pas fait pour traîner ! Et si on croise une connaissance, on la salue bien poliment, mais on ne s'arrête surtout pas pour discuter, ce serait d'un vulgaire ! Et après, on peut jouer au voilier dans le bassin du parc, ou à cache-cache avec les frères et sœur.

À quatre ans, Charles suit la petite chèvre du parc qui promène les enfants dans une carriole. Tant et si bien qu'il est complètement perdu. Pas de panique. Il se dit qu'en la suivant longtemps, il finira bien par revenir à son point de départ. Un autre souvenir de sa petite enfance : le cheval à jupe, très à la mode alors. Un cheval en bois, une jupe, et voilà Charles en chevalier.

Dans cette famille, les enfants jouent. Entre eux ou seuls. Mais toujours correctement. Sans trop de bruit. Et de préférence des jeux qui apprennent des choses. Le pire, c'est de ne rien faire. Ça non ! Ce n'est pas convenable.

Alors, Charles et ses frères s'amusent comme tous les enfants du monde à toutes les époques.

Enfin, ça, c'est quand tout va bien. Parce que Charles est souvent puni. La faute à son caractère. Toujours à se rebeller, à vouloir diriger ses frères, à se battre.

Le pompon, c'est peut-être quand il joue aux soldats de plomb. Ils en ont une sacrée collection. Plus de mille petits soldats de toutes

14

les nationalités, avec tous les uniformes. Dès qu'il glane un peu d'argent de poche, il file "chez Lucotte". Pour trois sous, il s'achète un fantassin, pour cinq sous, un cavalier.

Bien sûr, Charles a les soldats français. Et aussi les Suisses, sans qu'on sache trop pourquoi. Les autres ont hérité des Autrichiens, des Russes, des Anglais, et même des Zoulous.

Les petits soldats, c'est du sérieux : on reconstitue des grandes batailles de l'histoire, on crée des décors d'après ceux d'époque, avec du sable, du carton, des brins d'herbe.

Le père, sans intervenir directement, tient à ce que tout soit documenté. Le résultat l'est moins. Des fois, Napoléon gagne Waterloo. Une autre, il perd Austerlitz. De toute façon, la plupart du temps, ça se termine en bagarre. Charles s'énerve, il veut commander tout et tout le monde. Il s'attaque même à son grand frère, Xavier. Et après, privé de Luxembourg.

Le père, Henri, adore son métier : non content d'avoir ses propres enfants dans sa classe, où il les appelle "Untel" pour ne pas montrer sa préférence, il continue à transmettre à ses enfants son amour de l'histoire et de la littérature. Charles de Gaulle deviendra un puits de culture, capable de réciter à plus de soixante-dix ans des passages entiers de pièces méconnues de Corneille, ou de décrire une bataille du XVIIe siècle sans oublier aucun détail.

À faire signer par vos parents !

Toujours en haut-de-forme, même à la plage, Henri n'en est pas moins drôle, pétillant, tolérant. Rigoureux mais détendu. Plus en tout cas que sa femme, Jeanne, avec qui il s'entend très bien. "Vous avez la plus belle maman du monde", disait-il à ses enfants. Belle peut-être, mais avec un gros nez, qu'elle a donné à son fils, en plus d'une grande rectitude morale. Et pas toujours très marrante. Maman de Gaulle est très croyante et pas franchement ouverte aux idées nouvelles : elle déteste la jeune République française et ne rêve que du rétablissement des rois. Papa de Gaulle a les idées plus larges. À droite, mais favorable à ce capitaine Dreyfus, vous savez, cet officier juif accusé à tort d'avoir transmis des secrets militaires aux Allemands.

Il écoute avec ses fils le début du jazz à la radio, pendant que maman râle un peu. L'éducation était basée sur la discipline, mais "ce n'était pas la terreur quand même".

Un des moments importants de l'enfance de Charles de Gaulle, ce sont les vacances. Toute la famille se réunit dans une propriété ou dans une grande location, au bord de la mer du Nord. On ne se baigne pas, à cette époque. Ce n'est ni convenable ni réputé bon pour la santé par les médecins.

On joue dans le jardin. Tous les matins, Charles descend en criant "J'y suis ! Je retiens la balançoire !" au cas où un frère ou un cousin aurait décidé de se l'approprier. Charles n'aime pas trop la promiscuité et le monde. Pire que tout, il déteste ces interminables séances de photos de famille. Il détestera toute sa vie qu'on le photographie dans sa vie privée.

Quand il a neuf ans, ses parents achètent pour une bouchée de pain une maison en

Dordogne. Deux groupes sont constitués : le dortoir des garçons, où le père dort avec ses fils, et celui des filles.

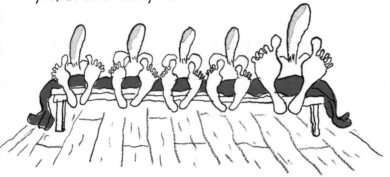

Les balades, si elles sont disciplinées, n'en sont pas moins attendues : le père emmène tout ce beau monde boire un verre de cidre ou, mieux, manger des gâteaux. À la fin du festin, le père ordonne : "Les enfants, confessez-vous." Et chacun de dire combien de gâteaux il a dévoré, sous l'œil amusé du père.

On n'est pas pauvres, chez les de Gaulle, mais l'argent n'est pas une priorité. On en a besoin pour élever des enfants et tenir une maison.

Point. Aucun besoin de s'enrichir. Ça non plus n'est pas convenable !

Le petit Charles grandit. Beaucoup. Une tige. Il atteindra 1,92 mètre. Ce qui en fait un des plus grands chefs d'État qui aient existé, et, pour l'instant, un grand dadais.

En 1905, le "petit père Combes", chef du gouvernement, bouffe du curé, comme on dit à l'époque. Il expulse de nombreux moines et petites sœurs, confisque leurs biens et les empêche d'enseigner. Impossible donc de continuer à aller chez les jésuites, où Henri est préfet des études. Pas question pour les de Gaulle de mettre leurs enfants à l'école publique, celle des "sans Dieu". Ils iront en Belgique dans une école religieuse et y passeront ainsi plusieurs années.

Charles continue de se passionner pour la littérature et l'histoire. Il écrit ses premiers textes. *Une mauvaise rencontre*, qui met en scène un gentil brigand, et *Une campagne d'Allemagne*.

Charles de Gaulle

Il s'imagine dans les années 1930 dirigeant les armées françaises et mettant en déroute les Allemands, tout cela avec force stratégie et détails. Déjà, il parle de lui à la troisième personne, comme s'il était quelqu'un d'autre.

À seize ans, il décide de devenir militaire de carrière.

Il est reçu à Saint-Cyr, la grande école de formation des officiers, avec une note très moyenne. Il devra comme tout le monde faire son service militaire avec les simples soldats. Sans doute un de ses seuls contacts avec des gens issus du peuple, car pour l'instant, sa vie s'est déroulée en milieu relativement fermé. Une de ses premières missions le confronte à la réalité sociale de la France d'alors. Il est chargé de réprimer une révolte de mineurs à Arras et à Lille.

Il a dix-neuf ans. Il n'est plus un enfant. Il entre à Saint-Cyr. Il va apprendre à devenir ce qu'il sent être depuis qu'il est né : un chef.

L'ASPERGE

Tout le monde s'accorde à le dire. Charles de Gaulle ne se prend pas pour de la crotte. Son intelligence est reconnue par tous, la fulgurance de ses analyses, mais pourquoi, pourquoi bon sang, faut-il qu'il soit aussi hautain ? C'est vrai que grand comme il est, il est bien forcé de prendre tout le monde de haut. Mais il n'y a pas que ça. Il semble être un garçon pétri de certitudes. Qui ne doute pas. Et qui peut se montrer méprisant avec ceux qui ne sont pas de son avis.

Il héritera de plusieurs surnoms : "le dindon" ou, plus classique, "la grande asperge", et bientôt, "le connétable". Il rencontrera deux futurs personnages importants de sa vie :

Alphonse Juin et de Lattre de Tassigny, parmi les seuls à le tutoyer. Ils deviendront tous les trois des hommes-clés de la guerre de 1939-1945. Ils devront, avant cela, survivre à la Première Guerre mondiale.

Tous les esprits sont occupés par un sujet qui prend beaucoup de place : l'Alsace et la Lorraine sont devenues, après la défaite française de 1870, allemandes. Les Français, et de Gaulle avec eux, ne rêvent que de revanche.

De Gaulle à vingt ans est un jeune homme qui attend la guerre. Il est intelligent. Il a compris qu'elle est inéluctable. Peut-être même la désire-t-il. Il sait qu'un officier ne peut montrer sa valeur qu'en ces occasions.

1914 : Enfin, la guerre arrive ! Chez les de Gaulle, on est programmé pour ça. Servir la France. Les quatre frères vont être appelés sous les drapeaux. Leur mère leur offre à chacun une médaille du Sacré-Cœur, pour les protéger.

De Gaulle est blessé trois fois au combat. En 1916, il est fait prisonnier. Il déteste.

Pour lui, un militaire prisonnier est inutile. Il vaut mieux être tué. Alors, il tente de s'évader. Cinq fois. Il échouera à chaque fois et sera transféré de camps en forteresses. Pour tuer le temps, à défaut de tuer des Allemands, il fait des conférences à ses compagnons où il expose inlassablement ses thèses : le matériel. Voilà ce qu'il faut. Fini les charges inutiles, ce qu'il faut, c'est concentrer les tirs, utiliser l'artillerie lourde pour décimer l'ennemi, et là, attaquer. On l'a compris, de Gaulle est tout sauf antimilitariste. Ça ne l'empêche pas d'être révulsé par l'attitude de certains officiers qui envoient leurs soldats à une mort certaine, faute d'utiliser la bonne tactique.

Pendant ce temps, le massacre continue. Verdun, la Champagne, le Chemin des dames. Les premiers gaz de combat, les premiers tanks. Les milliers de morts par jour. Les poilus d'ici ou d'en face qui ne reverront plus leur ferme, leurs champs. Leur femme, leurs enfants.

En 1918, la situation tourne à l'avantage des Alliés. L'aide massive des États-Unis est décisive. La politique d'attaque et de guerre à outrance de Foch, de Pétain, de Clemenceau est couronnée de succès. L'Allemagne a perdu la guerre. Elle signe l'armistice le 11 novembre. L'empereur abdique. L'Autriche-Hongrie implose, l'Empire ottoman aussi. Les vainqueurs sont intraitables. Au traité de Versailles, ils mettent l'Allemagne à genoux, lui demandant des réparations, occupant bientôt une partie de son territoire, et bien sûr, récupérant l'Alsace et la Lorraine.

De Gaulle rentre chez lui. Les quatre frères sont réunis. La "photo du miracle", selon l'expression de leur mère, trônera longtemps en bonne place.

Le capitaine de Gaulle est envoyé se battre en Pologne. Les Français ont pour mission d'aider le jeune État à repousser les Russes. Les Russes communistes, plus exactement, qui ont pris le pouvoir et exécuté le tsar. Là, les historiens bredouillent un peu : on parle d'une bataille féroce sur la Vistule, où de Gaulle est victorieux, mais aussi d'une jolie comtesse.

Pendant ce temps, en France, les manœuvres commencent. Mme de Gaulle mère veut marier son "petit". Elle lui arrange des rencards mais Charles, s'il veut se marier, veut aussi choisir…

Yvonne… Ah, Yvonne ! Elle est jolie, Yvonne, avec ses grands yeux tristes et sa mine timide. Et puis, de bonne famille : les biscuits

Vendroux… Comme par hasard, les tourtereaux se retrouvent au bal, puis en promenade. Tiens, Charles s'est baissé de quarante centimètres et a embrassé la jolie jeune fille en public ! C'est bon ! Ça veut dire que tout le monde est d'accord. Ils vont pouvoir se marier. Yvonne va associer sa silhouette à la sienne pendant cinquante ans. Ils auront trois enfants : Philippe, le sosie de son père, Élisabeth et Anne.

Anne est trisomique. Et change la vie de son père. Il devient tendre. Il la prend sur ses genoux et lui chante des petites comptines : "La peinture à l'huile, c'est bien difficile mais c'est bien plus beau que la peinture à l'eau." Joue avec ses mains. Parcourt des kilomètres en pleine nuit pour la voir. "Mon petit, mon tout petit."

Pendant ce temps, le capitaine de Gaulle fait sa petite carrière d'officier, prof à Saint-Cyr, en poste en Allemagne, au Liban, et surtout il revoit Philippe Pétain, qu'il a connu en 1912 et dont il devient la plume. En gros, il écrit ses textes, et le héros de 1914 les signe. D'ailleurs, en 1925, ils vont se fâcher à mort. Pas pour des opinions politiques. Non, pour une sombre affaire de signature sur un livre...

De Gaulle attend son destin, impatiemment. Il sait qu'il est exceptionnel. Manque de bol, pour l'instant, il n'y a que lui qui le sait.

AVANT L'ORAGE

Les chars ! Les chars ! Il faut des chars ! Il faut se préparer à la guerre ! Il faut se méfier de l'Allemagne, encore, toujours !

C'est presque une obsession ! De Gaulle est devenu une sorte de Cassandre* qui met la France en garde contre le danger allemand. Avec le recul, aujourd'hui, on a du mal à croire que personne (ou presque) ne l'écoute. Hitler est arrivé au pouvoir et ne cache pas ses intentions. Il veut clairement la revanche, il cesse de payer les réparations à la France, développe une politique agressive, très agressive, à l'égard de ses voisins. Il terrorise

---

* Cassandre : héroïne de l'Antiquité grecque qui était condamnée à prédire l'avenir sans que personne ne la croie.

Gaulle n'aurait pas su dire pourquoi, mais il y^onnait qu'on ne prenait pas ses théories au sérieux ses opposants et il suffit de lire son livre *Mon combat** pour savoir qu'il veut éliminer les juifs.

Ce que veut de Gaulle est simple : préparer l'armée et la France à la guerre. Développer la force mécanique, sa grande obsession. Ne jamais céder. C'est à peu près le contraire qui se passe. Les hommes politiques passent leur temps à plier. Sauf deux d'entre eux : Georges Mandel, ancien bras droit de Clemenceau, et Paul Reynaud, tous deux situés plutôt à droite. Il faut dire que la mode est au pacifisme. La guerre de 1914-1918 a laissé sur le carreau des milliers de gens encore jeunes blessés, brisés. Ils n'en peuvent plus de la guerre. Ils n'en veulent plus jamais. Ils l'auront quand même.

* *Mein Kampf*, en allemand.

Hitler resserre son étau et, à chaque provocation, il se rend compte que les démocraties ne bougent pas. En 1938, après l'Autriche, il envahit une partie de la Tchécoslovaquie. La France et l'Angleterre signent les accords de Munich avec l'Allemagne nazie et l'Italie fasciste. En gros, ils laissent faire, Hitler n'a plus qu'à abattre sa dernière carte : un pacte de non-agression avec les Russes. En gros : tu me laisses faire, je te laisse faire. Et on se partage le gâteau. Un gâteau nommé Pologne.

L'ORAGE

Attention, ça va très vite. Le quasi-inconnu de Gaulle va devenir un personnage historique.

Hitler envahit la Pologne. La France et l'Angleterre lui déclarent la guerre. Mais ne bougent pas pour autant. On se masse à l'est de la France, notamment sur la ligne Maginot, une longue forteresse, indestructible selon les généraux. Des hommes de tous âges remettent l'uniforme et jouent à la belote en attendant le grand jour. Seulement voilà, le grand jour ne vient pas. On appelle ça, un peu bizarrement, la "drôle de guerre".

Enfin, en mai 1940, les Allemands attaquent. À toute berzingue. Avec des chars, des

avions, la force mécanique tellement récla-
mée par de Gaulle.

— La ligne Maginot ? Ben, vous êtes gentils,
les gars, on va passer à côté…

— Quoi ? Hein ? Comment ? Passer à côté,
mais… mais… vous n'avez pas le droit !

— On va se gêner, tiens, c'est par les Ardennes qu'on va rentrer chez vous…

— Les Ardennes ? La forêt des Ardennes ?
Mais ce n'est pas possible, jamais les chars ne
passeront…

Ben si. Les chars sont passés. En quelques
jours, les Allemands envahissent la Belgique
et la France.

De Gaulle commande une petite unité de
chars. Il bouscule les Allemands.

On va chercher Paul Reynaud comme président du Conseil (le président du Conseil, à
l'époque, c'est celui qui dirige le gouvernement) en quatrième vitesse. Il ne peut pas faire
grand-chose, le pauvre. Si, tiens, nommer

de Gaulle général à titre provisoire et sous-secrétaire d'État à la guerre.

Contrairement à la légende, les Français se battent. La preuve : 100 000 morts. 100 000 Français morts en combattant. C'est un désastre. La France s'écroule. On rappelle Pétain d'Espagne.

De Gaulle cherche : Se replier en Afrique du Nord pour continuer le combat ? S'associer avec l'Angleterre et ne faire qu'un seul pays ? Et la Bretagne ? Tiens, pourquoi ne pas organiser un réduit breton où on résisterait aux assauts allemands ? Churchill, le Premier Ministre anglais, réfléchit aussi, propose, organise. Il ne veut pas rester tout seul devant les Allemands. Et puis il y a cette question obsédante : la flotte française. Si les Allemands s'en emparaient, ils pourraient sans problème envahir leur île. Et aussi, il cherche un chef français, capable d'organiser la résistance... Il a l'air pas mal, ce de Gaulle... mais enfin, bon, sous-secrétaire d'État à la guerre, ça ne fait pas très sérieux. Mandel... Tiens, il serait pas mal, ce Mandel, ministre de l'Intérieur, intègre, courageux, solide... mais Mandel refuse. Peut-être ne croit-il pas assez en lui. Parce que pour accepter cette charge, être celui qui porte sur ses épaules le combat contre Hitler, il faut avoir une sacrée foi en soi. Le melon. Et ça, Charles l'a.

Le gouvernement, dans la panique, s'enfuit à Bordeaux. Des milliers de gens fuient devant l'avancée allemande. C'est l'exode.

Le gouvernement français va demander l'armistice. Demander la fin des combats.

Première rencontre Churchill, de Gaulle
Londres 1940

C'est aussi reconnaître sa défaite et être obligé d'obéir aux vainqueurs : rendre les armes. Se constituer prisonnier. Livrer les ennemis d'Hitler.

Le 14 juin, de Gaulle, entre deux voyages pour Londres, va faire un bisou à sa maman malade.

Le 17 juin, il s'envole une dernière fois pour Londres. Le 18, il s'assied devant le micro de la BBC, la radio anglaise. Il parle. Personne ne l'entend. Ou presque. Mais il parle quand même. Ça y est : l'obscur militaire est devenu Charles de Gaulle. En fait, il l'a toujours été. Il lui manquait l'événement historique. Il l'a.

LA FLAMME

"Quoi qu'il arrive, la flamme de la résis-tance française ne doit pas s'éteindre et ne s'éteindra pas."

De Gaulle allume une cigarette. Tire ner-veusement dessus. Il donne le texte raturé à taper à sa secrétaire. Geoffroy de Courcel, son aide de camp, vient le chercher. Ils grimpent dans une voiture, puis gravissent les quatre étages de la radio anglaise. Il s'assied face au micro. Un technicien lui demande de faire un essai de voix. Il écrase sa cigarette, s'éclaircit la gorge et dit : "La France !"

C'est bon, le micro est réglé.

De Gaulle respire. Et se lance.

"Quoi qu'il arrive, la flamme de la résistance française ne doit pas s'éteindre et ne s'éteindra pas."

L'appel du 18 juin n'a jamais été enregistré. A été peu entendu.

La veille, Pétain dit le contraire : "C'est le cœur serré que je vous dis qu'il faut cesser le combat."

Charles et son assistant descendent dans la rue. Les Anglais se retournent en croisant ce géant en uniforme. Sans doute allume-t-il sa trentième cigarette de la journée. Sans doute vont-ils souper ? Il fait beau ce soir-là, à Londres. Il fait souvent beau au début des guerres.

Les jours suivants, ça ne se bouscule pas au portillon. Peu de monde se rallie à lui. Tant pis, on fera avec les moyens du bord.

D'autres, en France, commencent déjà à organiser la résistance aux Allemands. Comme sa nièce, Geneviève de Gaulle.

Yvonne, ses enfants et la gouvernante Mme Potel parviennent à rejoindre l'Angleterre, par le dernier bateau qui part de Brest. Ils ont un bol incroyable : ralentis par une panne automobile, ils ratent le bateau précédent, qui sera coulé par les Allemands, tuant tout le monde.

Peu à peu, il parvient, grâce au soutien critique de Churchill, à créer la France Libre, un mouvement qui ne propose rien de moins que de gagner la guerre.

De Gaulle fume comme un pompier, râle pour un rien, a les traits creusés : il porte la France à bout de bras. Mieux : il *est* la France.

T'étais qui, toi ?

Ce type s'est identifié à ce point à son pays qu'il dit qu'il est la France. Alors, bien sûr, on le regarde bizarrement : mais pour qui il se prend ? Churchill a compris tout de suite qu'il a affaire à un personnage de sa dimension, mais Roosevelt... lui ne l'aime pas. Le président américain voit en lui un dictateur, orgueilleux et rebelle. Il ne veut pas en entendre parler. Il préfère encore s'adresser à Pétain.

Il faut dire que de Gaulle enchaîne les échecs : les Anglais coulent la flotte française à Mers El-Kébir, en Algérie. Aïe. Il est repoussé par d'autres Français quand il essaie de rallier Dakar, en Afrique. Aïe. Quand les Américains débarquent en Algérie, alors française, ils ne le préviennent même pas. Aïe aïe... Pire, ils poussent en avant un officier plus docile à leur goût : le général Giraud. Ils veulent en faire le véritable chef de la France combattante.

Le gouvernement formé par Pétain est à Vichy, en zone dite "libre". Sous l'impulsion de Laval, il s'enfonce de plus en plus dans la collaboration avec les Allemands.

Il y a heureusement les bonnes nouvelles : Leclerc qui se bat avec succès en Afrique du Nord, Jean Moulin qui réunit tous les mouvements de résistance sous son patronage.

De toute façon, on dirait que de Gaulle n'a absolument pas envisagé que l'Allemagne gagne la guerre. Il a tout de suite senti que la guerre était mondiale et que les États-Unis et la Russie avec leur industrie allaient faire la différence. Son véritable combat, au général Micro, c'est de faire accepter par tout le monde la France comme un pays vainqueur. Il répète sans cesse que la vraie France, c'est la sienne, et pas celle de Pétain, et que le seul vrai pouvoir, c'est lui.

En 1942, les Allemands semblent être au sommet. C'est aussi le début de leur chute : les Russes, qui ont été attaqués par l'Allemagne en 1941, résistent au prix de millions de morts. Les États-Unis sont entrés en guerre après l'agression du Japon à Pearl Harbour. Les Américains ont débarqué en Algérie. Peu après, les Allemands décident d'envahir la zone libre.

Des chefs nazis décident lors d'une "conférence" de la solution finale. Derrière ce terme bureaucratique se cache l'épouvante : les autorités allemandes viennent de décider qu'ils vont tuer tous les juifs. Tous.

La réalité, c'est que 6 millions d'entre eux seront fusillés, pendus, gazés, décapités ou tués par des mauvais traitements.

"C'EST POUR CETTE NUIT."

5 juin 1944 :

Le vieux garçon est là. Le vieux garçon, c'est son fils, Philippe, qui s'est engagé dans la marine. Ce soir, son père l'a invité à dîner. Ça fait des mois qu'ils ne se sont pas vus. Ils s'écrivent. Et dans les lettres, Charles appelle son fils "mon cher vieux garçon".

Le repas dure longtemps, longtemps, c'en est presque gênant. Le silence s'installe. De Gaulle père regarde sa montre. Enfin, à minuit, il se lève et dit : "C'est pour cette nuit."

Le débarquement est pour cette nuit. 156 000 Américains, Anglais, Canadiens vont se battre contre les Allemands pour prendre pied sur le continent européen. Il y a même

300 combattants français du commando Kieffer. C'est peu, mais enfin, c'est toujours ça.

De l'autre côté, à l'est, les Russes avancent. Le but, c'est de prendre les Allemands en tenaille.

Quelques jours plus tard, le général, retardé par les Américains, peut enfin débarquer en France. Il devrait être heureux. Et pourtant, il n'a jamais été aussi sombre. À quoi pense-t-il ce 14 juin, sur le pont de *La Combattante* qui approche des côtes normandes ? Sans doute à l'AMGOT*. Le président Roosevelt considère la France comme un pays ennemi, allié des Allemands. Il veut donc installer une administration américaine. Des billets de banque circulent déjà. Il veut surtout éviter que de Gaulle prenne le pouvoir en France. Il est toujours persuadé que celui-ci est un apprenti dictateur.

---

* Gouvernement militaire allié des territoires occupés.

De Gaulle foule enfin le sol français. Il est à la plage. À Courseulles. Quatre ans qu'il est parti, laissant tout derrière lui. Il ne dit rien. Fume. De longues minutes passent. Un de ses compagnons rompt le silence :

— Avez-vous pensé, mon général, qu'il y a quatre ans, jour pour jour, les Allemands entraient dans Paris ?

— Eh bien, ils ont eu tort !

Ils s'avancent enfin dans la campagne normande. Un prêtre à cheval coupe leur route. Le curé descend et dit :

— Comment ça, vous êtes le général de Gaulle et vous avez traversé mon village sans même me serrer la main ?

— Je ne vous serre pas la main, je vous embrasse.

De Gaulle arrive à Bayeux, la première ville française libérée. Le sous-préfet a à peine le temps de décrocher la photo de Pétain. Les gens n'en croient pas leurs yeux : c'est lui, de Gaulle ? Ce grand type à la drôle de figure ? C'est lui, alors, cette voix, ce visage ? Les gamins ne le lâchent pas d'une semelle. Des centaines de gens l'acclament.

De Gaulle peut laisser son air morose au vestiaire. C'est bon. Il a gagné. Le peuple est avec lui. Et ça, Roosevelt n'y peut rien. Il sera obligé de reconnaître sa légitimité. L'AMGOT ne sera jamais mis en place. De Gaulle annonce la création du Gouvernement provisoire de la République française. Ils peuvent garder leurs faux billets.

Un peu plus tard, à Isigny ravagée par les bombardements, de Gaulle traverse les ruines, au milieu des morts et des blessés. Les gens le regardent passer, les larmes aux yeux, en silence. De Gaulle, en une journée, vient de trouver la récompense de ses quatre années de combat et d'exil.

FRANCE LIBRE

La foule remonte les Champs-Élysées.
De Gaulle devant, entouré de ses compagnons.
Quelques jours plus tôt, la capitale s'est soule-
vée contre les Allemands. Le général a insisté
auprès d'Eisenhower, le commandant en chef
des forces alliées, pour que les troupes françaises du général Leclerc fassent un détour et
viennent aider à la libération de la ville.

De Gaulle triomphe : les Allemands sont
battus et les Américains sont mis devant le fait
accompli ; ce sont les Parisiens qui ont libéré
Paris, et pas eux !

Alors qu'il marche au milieu de la foule, des
képis, des cris, il aperçoit, au bout de sa rangée,
un jeune résistant, béret et armes à la main.

Le jeune homme voit arriver vers lui le grand homme, celui au nom duquel il se bat depuis des mois. Que va-t-il lui dire ? Quels mots historiques va-t-il prononcer qui vont le récompenser de son courage ?

— Dites donc, jeune homme, on ne fume pas dans le défilé.

Pas plus commode, le grand Charles, sur le parvis de Notre-Dame de Paris. On lui tire dessus ? Et alors ? Il en a vu d'autres et, au milieu des hommes qui s'abritent, il continue son chemin, immense cible méprisante.

Le discours qu'il prononce ce jour-là est resté célèbre : "Paris outragé ! Paris brisé ! Paris martyrisé ! Mais Paris libéré !"

Il s'installe rapidement à la tête du gouvernement provisoire. Première difficulté : canaliser l'épuration. En gros, la fin d'une guerre, c'est la période où tout le monde veut régler ses comptes. On tond les femmes qui ont eu des relations sexuelles avec les Allemands, on tue les collabos et, parfois, on en profite pour tuer des gens qu'on n'aime pas. De Gaulle, plus que tout, a peur d'une guerre civile. Il n'a pas tort : c'est ce qui arrive en Yougoslavie et en Grèce.

De Gaulle tente de désarmer les résistants, de les incorporer dans l'armée régulière. Il est en effet dangereux de laisser des milliers d'hommes armés dans la nature.

Tous les soirs, un juge lui apporte une pile de dossier : ceux des condamnés à mort. De Gaulle les examine longuement. Soit il les gracie. Soit il laisse la condamnation à mort s'accomplir. Il sera plutôt clément et graciera de nombreux condamnés.

Condamnés   Graciés

Les premiers jours de sa prise de pouvoir, alors qu'il a des milliers de choses à régler, il invite à son bureau des grands écrivains : François Mauriac, André Malraux, Paul Valéry, Georges Bernanos.

En attendant, la guerre n'est pas finie. Il le sait bien, son propre fils, ses neveux se battent, dans les Vosges, à Strasbourg, bientôt en Allemagne. Sa sœur, son frère, sa nièce sont encore prisonniers.

Au début du printemps 1945, alors qu'Hitler et Mussolini vont mourir, les Russes et les Américains découvrent l'horreur :

les camps de concentration. Des tas de cadavres. Des survivants aux yeux trop grands et au corps trop maigre. Des chambres à gaz. Pour y tuer des juifs, des résistants, des homosexuels, des Russes, des communistes, des gitans, des témoins de Jéhovah, tous ceux qui étaient considérés par les nazis comme nuisibles.

Mais la guerre finira, parce qu'il faut bien qu'une guerre finisse. Les survivants reviennent. De Gaulle ne comprendra vraiment l'horreur des camps et de la Shoah qu'au retour de sa nièce, Geneviève, internée pour faits de résistance au camp de Ravensbrück ; ils auront de longues discussions, le soir. Charles de Gaulle sera bouleversé. Il lui offrira, belle ironie de l'histoire, une promenade dans la voiture personnelle d'Hitler, ramenée par Leclerc comme prise de guerre.

UN ALBATROS DANS LE DÉSERT

Le 8 mai 1945, c'est la fin de la guerre.
60 millions de morts.

Le même jour, en Algérie qui appartient toujours à la France, des Arabes, après qu'on a tiré sur leur manifestation pour l'indépendance, massacrent 102 colons français. La réaction française est terrible. Des milliers d'Algériens, hommes, femmes, enfants, sont massacrés à leur tour.

Le jour où on célèbre la fin de la barbarie nazie, les Français tuent des Arabes, qui commencent à parler d'indépendance. Madagascar connaîtra une répression équivalente. Les colonisés ont aidé les Français à se débarrasser des Allemands. Maintenant, ils veulent qu'on les respecte.

En attendant, de Gaulle, plein de rêves de grandeur, doit faire face à la réalité : il faut composer avec les partis politiques, et ça ne lui plaît pas, mais alors pas du tout. Son gouvernement a le temps de faire voter des lois sociales, comme le droit de vote des femmes ou la sécurité sociale.

"C'était un albatros qui me parlait en albatros", dira l'écrivain François Mauriac. L'albatros, vous savez, cet oiseau majestueux quand il vole mais qui devient maladroit et ridicule dès qu'il est au sol.

De Gaulle en a marre, on le sent bien. Il est irritable. On est en janvier 1946, alors que les risques de guerre civile semblent éloignés mais que la "guerre froide" entre les États-Unis et la Russie communiste se profile.

Il démissionne. Sans doute pense-t-il qu'on va venir le chercher rapidement. Mais non. Bien sûr, tout le monde pense à lui, mais l'homme est trop grand. Tout le monde reconnaît le rôle immense qu'il a joué ; il est respecté, mais bon, on veut passer à autre chose.

Il pense à partir au Canada.

— Je pêcherai des poissons, Yvonne, vous les ferez cuire.

Mais il n'émigre pas. Il retrouve sa maison de Colombey, sa chère maison, détruite par les Allemands. Yvonne est contente. Elle l'a enfin pour elle. Bien sûr, il y a ses amis. Ils arrivent même à lui faire créer un parti politique. Ça marche. Il y a ce fameux discours de Bayeux où deux ans après, presque jour pour jour, il revient dans la première ville française libérée et dit aux milliers de personnes qui sont venues quel avenir il veut pour la France.

Mais peu à peu, on l'oublie. Ou plutôt, on fait semblant de l'oublier. C'est le début de ce que son ami Michelet appellera "la traversée du désert". Il reste seul avec sa famille à Colombey. Sa petite fille mongolienne, Anne, meurt à vingt ans.

Pour tuer le temps, il fait des réussites. Trois fois par jour, il effectue une longue promenade.

Il peut enfin se lancer dans sa grande œuvre, ses *Mémoires de guerre*. Avec les sous, les époux de Gaulle créeront une association pour accueillir les jeunes filles trisomiques dont les parents n'ont pas d'argent.

Un de ses fidèles, Olivier Guichard, lui arrange des rendez-vous bidons, le mercredi à Paris, pour qu'il ne se retrouve pas tout seul dans ses bureaux. En 1956, un sondage pose la question : Qui voudriez-vous qui dirige le gouvernement ? De Gaulle obtient 1 % de réponses favorables.

Ben oui, la France va bien. Ce sont les Trente Glorieuses. Le progrès arrive, tout le monde en profite. On reconstruit les villes

Charles de Gaulle

De Gaulle se fond dans l'anonymat le plus complet.

détruites, on achète des voitures, des machines à laver, des télévisions même, pour certains ! On n'a pas besoin de héros quand tout va bien.

Bon, il y a bien des problèmes ; l'armée française vient de connaître une grande défaite en Indochine en 1954. La France accorde l'indépendance à cette immense colonie d'Asie. C'est Mendès-France, l'autre grand homme politique de cette période et ancien compagnon de guerre de de Gaulle, qui signe les accords de paix.

C'est aussi lui qui accorde l'autonomie au Maroc et à la Tunisie. Mais l'instabilité de la IVe République l'empêche de rester au pouvoir quand éclatent les troubles en Algérie.

Ça ne va pas bien, là-bas, dans ce pays qui appartient à la France, mais où les Arabes n'ont pas les mêmes droits que les Européens.

Et moins ça va, plus les regards se tournent vers l'homme du 18 juin.

"VIVE L'ALGÉRIE FRAN...
HEU... ALGÉRIENNE !"

"Croit-on qu'à soixante-sept ans, je vais commencer une carrière de dictateur ?"
Non, Charles, mais reconnais tout de même que ce n'est pas passé loin. Le 13 mai 1958, à Alger, il y a des émeutes. Des militaires et des pieds-noirs, les habitants d'origine européenne qui vivent en Algérie, ont installé un "comité de salut public". Ils refusent d'obéir au gouvernement de Pierre Pflimlin. Ils réclament de Gaulle. Dans leur esprit, il n'y a que lui qui soit capable de maintenir l'Algérie française. Les troubles gagnent la Corse. Le général Massu, à la tête du comité, a tout prévu : des parachutistes sont prêts à sauter sur Paris. Ils n'auront pas à le faire. Le jour où

l'assaut était prévu, le président Coty appelle de Gaulle comme chef du gouvernement le 1er juin 1958. Ouf... ça n'est pas passé loin.

Le 4 juin, de Gaulle s'envole pour Alger. Devant la foule rassemblée et enthousiaste, il tend les bras vers le ciel et s'écrie :

— Je vous ai compris !

Dans la tête des Français d'Algérie, c'est clair. Il a compris leur demande, il va sauver l'Algérie française, il va empêcher les Algériens d'être indépendants.

Pendant ce temps, Debré rédige le grand projet gaullien : une constitution. C'est-à-dire qu'il rédige l'ensemble des lois qui organisent le fonctionnement de l'État. C'est l'acte de naissance de la Ve République, qui est toujours la nôtre.

Autre événement, il reçoit chez lui, dans sa maison de Colombey, la Boisserie, le vieux chancelier allemand Conrad Adenauer. Seulement quatorze ans après la fin de la guerre, on dirait que la France et l'Allemagne sont enfin amies.

Je vais lever les bras. En général ils aiment bien quand je lève les bras.

Le 8 janvier 1959, de Gaulle devient le premier président de la Vᵉ République. À soixante-neuf ans.

— Ah, si j'avais dix ans de moins...

À son cou pend un petit médaillon. Un portrait de sa fille Anne. Et le code de la bombe atomique française. Quand elle explose lors des essais dans le désert algérien, il s'écrie : "Hourrah pour la France !"

En attendant, le "problème" algérien est loin d'être réglé. Si l'armée française gagne sur le terrain, il n'en est pas de même dans les esprits. De Gaulle tente de faire comprendre aux Européens que "l'Algérie de papa, c'est fini !". Entendez par là : si vous voulez rester en Algérie, il va falloir partager avec les Algériens.

Il demande à tous ses ministres leur avis sur le sujet. Seul un d'entre eux est pour l'indépendance.

En juin 1960, de Gaulle se fait plus clair : il parle d'une Algérie algérienne en coopération avec la France. Dans l'esprit de nombreux pieds-noirs et de nombreux militaires, c'est une trahison : de Gaulle veut les lâcher. Il veut donner l'indépendance aux Algériens. Sur le terrain, c'est une succession de massacres de part et d'autre. Des milliers de jeunes Français se battent contre les fellaghas, les combattants algériens.

Fin avril 1961, de Gaulle est au théâtre. Il va voir *Britannicus* avec son ami le tout récent président du Sénégal, Léopold Sédar Senghor. Dans la nuit, il reçoit un coup de fil. C'est grave. Un groupe de généraux a pris le pouvoir en Algérie. C'est un putsch. Des militaires seraient prêts à sauter sur Paris. Le Premier ministre appelle les Parisiens à se rendre dans les aéroports pour bloquer les révoltés.

Le président n'est pas homme à se laisser démonter. Au contraire, on dirait qu'il n'est à l'aise que dans les drames. Sa réaction est immédiate : il s'adresse à la télé aux Français. En une phrase, il ridiculise les putschistes : "Un quarteron de généraux en retraite", dit-il.

L'immense majorité de la population est derrière le général. En quelques jours, la situation est rétablie. Les généraux rebelles sont arrêtés, ou en fuite.

De Gaulle peut démarrer les négociations pour l'indépendance de l'Algérie, qui auront lieu à Évian.

Les esprits s'échauffent : les rescapés du putsch, ceux qui ne veulent à aucun prix céder l'Algérie aux Algériens, créent l'Organisation armée secrète, l'OAS. Ils assassinent et lancent des bombes. De l'autre côté, ce n'est pas mieux. Le FLN* fait une surenchère pour qu'il y ait tellement de sang entre les Algériens et les Européens que leur cohabitation soit impossible.

Et les pacifistes ? Ben, ils n'ont pas grand-chose à dire. Une grande manifestation de la gauche est violemment réprimée au métro Charonne, à Paris. Neuf morts.

* Le Front de libération nationale, le parti de la résistance algérienne.

Les négociations d'Évian, et surtout celles, secrètes, qui se déroulent dans un chalet, le Yéti, à la frontière suisse, aboutissent. Le cessez-le-feu est signé le 18 mars 1962.

L'OAS jure la mort de de Gaulle. Elle organise des "ratonnades". Elle tue des Algériens jusque sur leur lit d'hôpital. Des dizaines de femmes de ménage sont abattues alors qu'elles vont travailler.

La situation se tend jusqu'à ce que les Européens d'Algérie soient obligés de quitter leur terre natale. C'est "la valise ou le cercueil". Environ 5 000 Européens sont massacrés. Quant aux harkis, les Algériens qui avaient choisi de combattre auprès des Français, c'est une boucherie : 50 000 d'entre eux sont tués.

Un million de pieds-noirs arrivent en France. Ils ont tout perdu. La plupart ne reverront jamais l'Algérie.

Mais la France est soulagée. Le 1er juillet 1962, 99 % des Français votent "oui" à l'indépendance de l'Algérie. De Gaulle a réussi.

Fin août, Charles et Yvonne s'apprêtent à partir en week-end à la Boisserie. D'ailleurs, Yvonne a acheté des beaux poulets chez son traiteur habituel.

Au lieu-dit "du Petit-Clamart", la DS noire du président est criblée de balles. On retrouve deux cents douilles sur la chaussée. Des quatre passagers, de Gaulle, Yvonne, son gendre et le chauffeur, pas un n'est touché. Le général a la "baraka". La légende dira qu'un cadre avec la photo de sa fille Anne, qu'il a toujours avec lui dans une sacoche, a empêché une balle de l'atteindre.

Arrivés en sécurité, les passagers descendent de la voiture, pneus crevés. Le général s'époussette. Yvonne réajuste son chapeau et dit à un policier médusé :

— N'oubliez pas les poulets. J'espère qu'ils n'ont rien.

Mai 68 : des stratégies audacieuses sont envisagées.

EN MAI,
FAIS CE QU'IL TE PLAÎT

Le petit rouquin a l'œil qui frise. Il regarde le ministre en rigolant.

— Nous, ce qu'on veut, c'est aller dans le bâtiment des filles.

Le ministre hausse les épaules :

— Si vous êtes excités, vous n'avez qu'à plonger dans la piscine.

Mauvaise pioche, ministre. D'un petit mouvement d'étudiants qui réclamait un peu plus de liberté, vous avez réussi à créer une des grandes révoltes de ce siècle : Mai 68, dont le leader sera Daniel Cohn-Bendit, le petit rouquin.

La France s'ennuie, écrivait un journaliste quelques semaines plus tôt : elle ne va pas s'ennuyer longtemps ! Pendant un mois, c'est un déferlement de manifestations, de cris, de discours, de rires, de violence un peu quand même, et enfin, enfin, de liberté. Inutile de préciser qu'autour du général, on ne comprend rien à ce qui se passe. Il n'y a qu'à leur couper les cheveux, à tous ces zazous !

Ils n'ont qu'à travailler, ça leur fera passer leur envie de courir après les filles !

De Gaulle est complètement dépassé. Il ne reconnaît plus sa France. Seul son Premier ministre, Pompidou, aidé de deux jeunes politiciens ambitieux, Balladur et Chirac, tire son épingle du jeu. Il propose aux ouvriers de nouveaux avantages.

De Gaulle prend peur. Une manifestation communiste passe non loin de l'Élysée. Il suffirait d'un signal pour la dévier sur le palais. Plus grave : sa femme est insultée dans la rue par des caissières de magasin.

Sans prévenir personne, le 29 mai, le général, sa femme et son gendre prennent l'hélicoptère. Ils volent en rase-mottes pour éviter les radars, et hop, passent le Rhin.

— Allo Massu, on arrive, dit le gendre, Alain de Boissieu.

— Je suis à poil, mon p'tit vieux, j'enfile un pantalon et j'arrive.

Massu, ce n'est pas n'importe qui. Compagnon de résistance des premiers jours, artisan du coup de force de 1958, il est à cette heure commandant en chef des forces françaises.

L'hélico se pose, de Gaulle descend :

— C'est foutu, Massu, ils ne veulent plus de moi.

Les deux hommes s'enferment environ une heure. Que se disent-ils ? Massu n'est pas le genre à mâcher ses mots. Toujours est-il que de Gaulle sort de là ragaillardi. Plus question d'abandonner la partie. Il retourne en France où, pendant toute une après-midi, personne ne savait où il était passé. Le lendemain, il parle à la radio. Ses partisans s'organisent et des milliers de gaullistes défilent.

Les jours suivants, les manifestations des étudiants et des ouvriers deviennent de moins en moins importantes. Mai 68 se termine en juin. Des élections ont lieu qui sont un triomphe pour le pouvoir en place. De Gaulle a gagné. Et perdu. Il est apparu comme usé, vieilli.

Il reste encore un an au pouvoir. Des hommes politiques plus jeunes sont en embuscade, prêts à conquérir le pouvoir. Giscard. Mitterrand. Et surtout Pompidou qui a pris durant ce mois de mai la dimension d'un homme d'État.

Un grand nez, de grandes oreilles, une petite moustache et général : personne n'est mieux placé que moi pour vous comprendre...

De Gaulle en avril 1969 veut tenter un dernier coup : il propose au peuple un référendum sur les régions. Tout le monde s'en fiche, des régions. Chacun sait bien qu'en fait c'est un référendum sur de Gaulle lui-même. Les Français répondent "non". Et de Gaulle s'en va, blessé par tant d'ingratitude.

Il n'est plus au pouvoir mais reste incontournable. On lui soumet le projet d'une croix de Lorraine géante dans sa région. Il sourit : "Il n'y a personne là-bas. Ça incitera peut-être les petits lapins à la résistance."

Encore un an, le grand vieil homme promènera son imposante silhouette sur les plages irlandaises ou sous le soleil espagnol. Il meurt à l'automne 1970, à quatre-vingts ans. Il s'écroule dans sa maison de la Boisserie, alors qu'il allait commencer une nouvelle réussite. Il sera enterré à côté de sa fille, Anne.

Chronologie

1890 : Charles de Gaulle naît.
Agatha Christie et Dwight Eisenhower aussi.
Vincent Van Gogh et Sitting Bull meurent.
Hitler a 1 an. Charlie Chaplin aussi. Mussolini a 7 ans.
Roosevelt a 8 ans. Staline a 12 ans. Churchill a 16 ans.
Lénine a 20 ans. Gandhi a 21 ans. Et Pétain a 34 ans.
Pour la première fois, on emploie le mot "automobile" et on tue un homme avec une chaise électrique. Pour la première fois aussi, un avion vole.

1895 : Les frères Lumière conçoivent et inventent le cinéma.

1899 : Pour la première fois, une voiture passe la barre des 100 km/h.

1905 : De Gaulle poursuit sa scolarité en Belgique.

1908 : Il entre à Saint-Cyr.

1910 : Inondation de Paris.

1912 : Catastrophe du *Titanic*.

1914 : Début de la Première Guerre mondiale.

1916 : De Gaulle est fait prisonnier par les Allemands. Il a 26 ans.

1917 : Révolution en Russie.

1918/1919 : Épidémie de grippe espagnole dans le monde.

1919-1921 : Il fait la guerre en Pologne contre les Russes.

1921 : Il épouse Yvonne Vendroux. Il a 31 ans. Naissance de Philippe.

1922 : Mussolini au pouvoir en Italie. Première émission de radio en France.

1924 : Naissance d'Élisabeth.

1928 : Naissance d'Anne.

1929 : Hergé crée Tintin.

1931 : De Gaulle est muté au Liban.

1933 : Hitler au pouvoir.

1935 : Première émission de télévision en France.

1936 : Guerre civile en Espagne.

1939 : L'Allemagne et l'URSS envahissent la Pologne. La France et l'Angleterre déclarent la guerre à l'Allemagne.

1940 : L'Allemagne envahit la Belgique, les Pays-Bas et la France. De Gaulle lance son appel à la résistance, à Londres. Il crée la France Libre. Il a 49 ans.

1942 : Forte hausse des naissances en France : début du baby-boom.

1943 : De Gaulle continue son combat à Alger.

1944 : Débarquement allié. De Gaulle est chef du gouvernement provisoire.

1945 : Droit de vote des femmes. Sécurité sociale. Fin de la guerre. Libération des camps de concentration.

1946 : Retour des prisonniers des camps de concentration. De Gaulle démissionne. Discours de Bayeux.

1947 : Il fonde un parti politique.

1954 : Sortie du premier tome de ses *Mémoires de guerre*. Début de la guerre d'Algérie.

1955 : Naissance de Nicolas Sarkozy. On utilise le mot "ordinateur" pour la première fois.

1958 : Crise à Alger. Retour de de Gaulle au pouvoir, comme président du Conseil. Il a 67 ans.

1959 : De Gaulle est élu premier président de la Vᵉ République.

1961 : Coup d'État de généraux à Alger. Naissance de Barack Obama.

1962 : Indépendance de l'Algérie. Tentative d'assassinat. Création de *Spacewar*, le premier jeu vidéo.

1965 : Réélection au second tour contre François Mitterrand.

1966 : Sortie de *La Grande Vadrouille* avec Bourvil et de Funès.

1967 : Voyage au Canada où il dit : "Vive le Québec libre !"

1968 : Mai 68. Voyage à Baden-Baden.

1969 : Démission.

1970 : Le général de Gaulle meurt à 80 ans. Séparation des Beatles.

Reproduit et achevé d'imprimer en janvier 2010 par l'imprimerie Vasti-Dumas
à Saint-Etienne pour le compte des éditions ACTES SUD,
Le Méjan, Place Nina-Berberova, 13200 Arles.

Dépôt légal - 1re édition : février 2010 - N° impr. V003508/00
(Imprimé en France)